어린이 바이엘

상권

세광음악출판사

차 례

차 례

차례 및 본문삽화 / 김 영 덕

건반과 보표

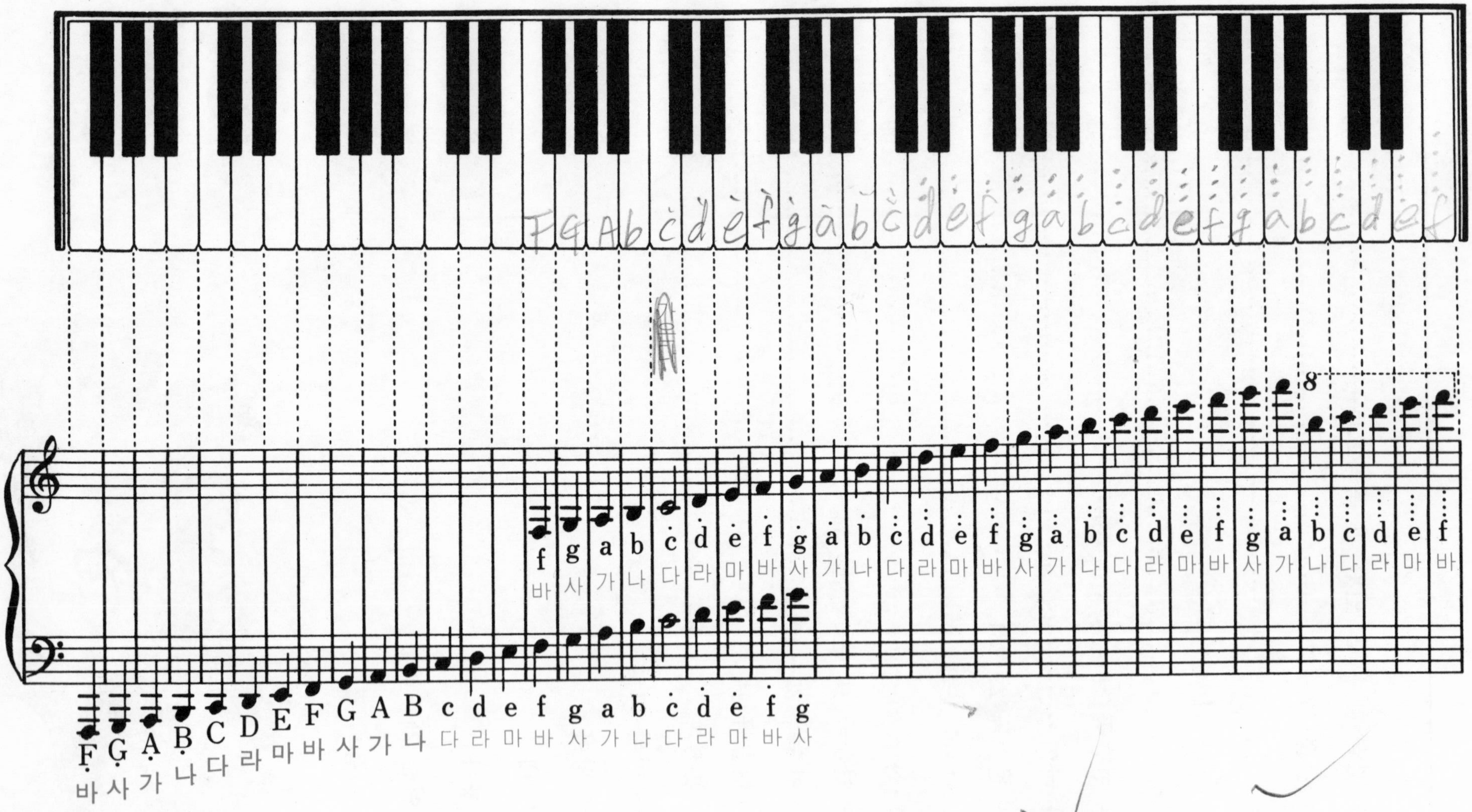
8
f g a b c d e f g a b c d e f g a b c d e f g a b c d e f
바 사 가 나 다 라 마 바 사 가 나 다 라 마 바 사 가 나 다 라 마 바 사 가 나 다 라 마 바
F G A B C D E F G A B c d e f g a b c d e f g
바 사 가 나 다 라 마 바 사 가 나 다 라 마 바 사 가 나 다 라 마 바 사

악 보 공 부

피아노 공부를 시작하기에 앞서 악보에 대해서 먼저 알아 두면 큰 도움이 됩니다. 악보에는 여러 가지의 글자나 부호가 적혀 있습니다. 이것들을 확실히 알고 익히기 위해서 조금씩 천천히 공부해 봅시다.

1. 오 선

음악은 반드시 나란한 다섯 개의 줄을 사용하는데, 이 다섯 줄을 「오선」이라 합니다. 이 다섯 개의 줄과, 각 줄과 줄 사이는 다음과 같은 이름이 붙어 있습니다.

다섯째줄 ······ _____
⋯⋯⋯ 넷째칸
넷 째 줄 ······ _____
⋯⋯⋯ 셋째칸
셋 째 줄 ······ _____
⋯⋯⋯ 둘째칸
둘 째 줄 ······ _____
⋯⋯⋯ 첫째칸
첫 째 줄 ······ _____

♩, ♪, ○는 음표라고 하며 언제나 줄이나 칸에 놓여 있습니다. 다섯 개의 줄과 네 개의 칸으로 모두 열 한 개의 음표를 적을 수 있습니다.

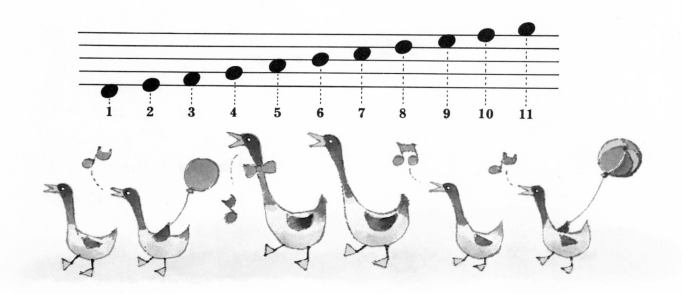

2. 높은음자리표(또는 사음자리표)

가 적혀 있는 오선에는 피아노 건반의 중앙보다 오른쪽의 높은 음들이 적혀 있으므로 「높은음자리표」라고 합니다. 또 이 음자리표는 둘째 줄이 「사」 음이라는 것을 나타내는 표이므로 「사음자리표」라고도 합니다.

여러분도 선생님에게 배워서 그려 봅시다.

3. 음표의 길이

♩ (♩)   4 분음표 ├──┤

♪ (♪)   2 분음표 ├──┼──┤   ♩+♩

♩. (♩·) 점 2 분음표 ├──┼──┼──┤   ♩+♩+♩, ♩+♩,

o   온 음 표 ├──┼──┼──┼──┤   { ♩+♩+♩+♩, ♩+♩,
                                { ♩·+♩

4. 박자와 마디

박자란 여러 가지의 길이와 높이를 가진 음의 강약이 규칙적으로 되풀이하는 것을 말합니다.

박자에는 다음과 같은 종류가 있습니다.

2박자―――**세게** · 여리게 (◎ ○)

3박자―――**세게** · 여리게 · 여리게 (◎ ○ ○)

4박자―――**세게** · 여리게 · **조금 세게** · 여리게 (◎ ○ ○ ○)

또 음자리표 바로 다음에 적혀 있는 $\frac{2}{4}$, $\frac{4}{4}$ 등은 「박자표」라고 합니다. 위의 숫자는 박자를 나타내고, 아래의 숫자는 한 박에 해당하는 음표를 나타냅니다.

그러므로 박자가 되풀이할 때는 세로로 줄을 그어서 구분합니다. 이 줄을 「세로줄」이라 하고, 세로줄과 세로줄의 사이를 「마디」라고 합니다. 두 개의 세로줄을 「겹세로줄」이라 하고, 곡이 끝남을 나타내는 겹세로줄을 「끝세로줄」이라고 합니다.

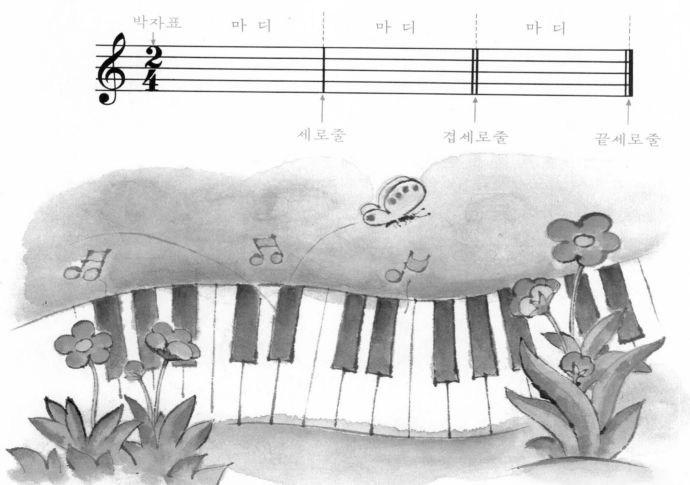

바 른 자 세

바 른 자 세

나 쁜 자 세

여러분은 어느 쪽의 자세가 좋다고 생각하나요? 피아노 앞에 앉아 보십시오. 그리고 피아노를 쳐 봅시다.

팔꿈치가 건반보다 낮으면 치기가 곤란합니다. 몸이 너무 피아노에 가까우면 빠르게 칠 수가 없습니다.

선생님에게 배워서 바른 자세로 치도록 합시다.

올바른 손가락 모양

1) 손을 살며시 건반 위에 놓는다.

2) 엄지손가락으로 칠 때의 바른 모양

3) 집게손가락으로 칠 때의 바른 모양

4) 가운뎃손가락으로 칠 때의 바른 모양

5) 약손가락으로 칠 때의 바른 모양

6) 새끼손가락으로 칠 때의 바른 모양

손가락 번호

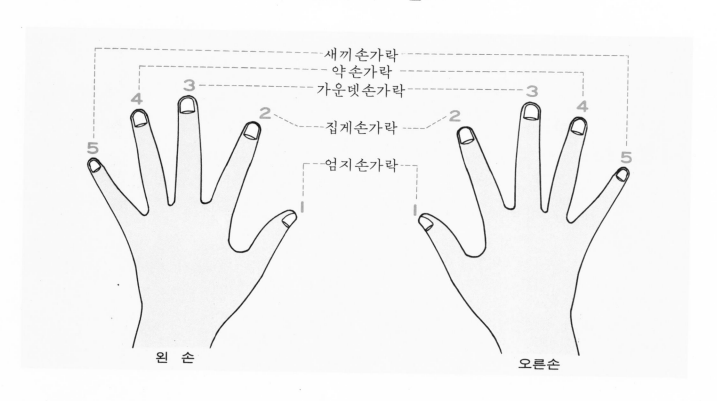

새끼 손가락

약 손가락

가운뎃 손가락

집게손가락

엄지손가락

왼 손

오른손

오른손 연습

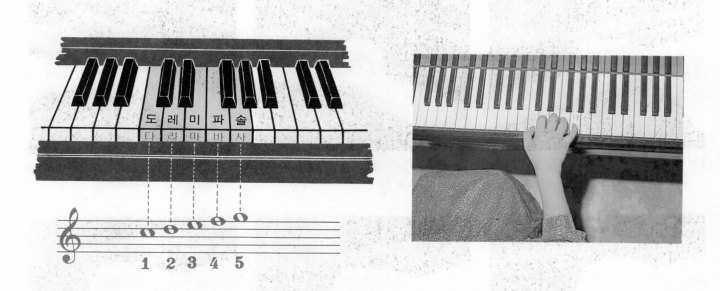

이제부터 연습곡에 들어갑니다. 우선 오른손 연습부터 시작합니다. 위의 건반과 악보를 잘 봅시다. 음표에 적혀 있는 숫자는 손가락 번호입니다. 첫째 손가락은 「다」에, 둘째 손가락은 「라」에, 셋째 손가락은 「마」에, 넷째 손가락은 「바」에, 그리고 다섯째 손가락은 「사」에 놓고, 각 음을 잘 들으면서, 그 위치를 확실히 익혀 둡시다.

이 1번부터 24번까지의 오른손 연습곡에는 다음과 같은 기호가 나오고 있습니다.

$\frac{4}{4}$ ·········· 4 분의 4 박자입니다. 4 분음표 하나를 한 박으로 한 4 박자입니다. 한 마디에는 4 분음표가 네 개 들어 있습니다.

$\frac{3}{4}$ ·········· 4 분의 3 박자입니다. 4 분음표 하나를 한 박으로 한 3 박자입니다. 한 마디에는 4 분음표가 세 개 들어 있습니다.

𝄇 ·········· 도돌이표입니다. 처음부터 이 표가 있는 곳까지 다시 되풀이하여 칩니다.

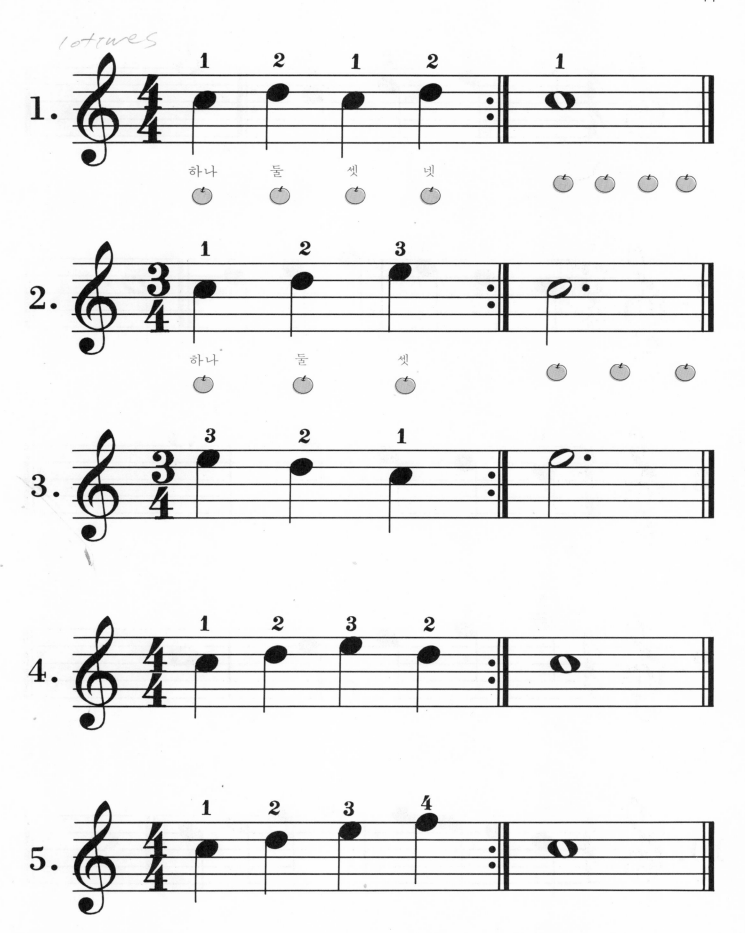

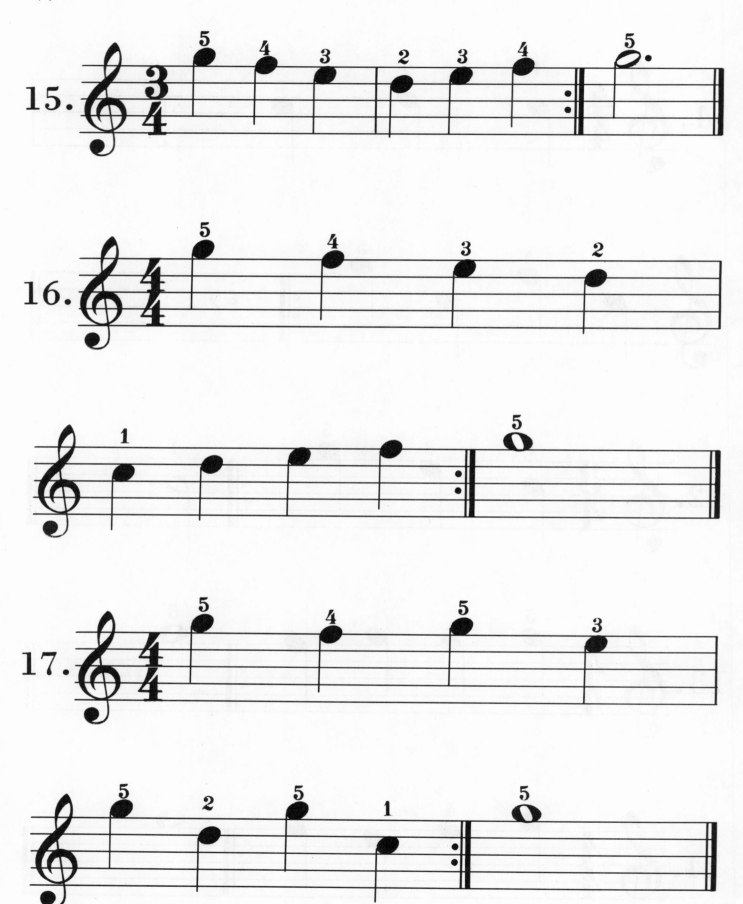

18 — 21   15 times

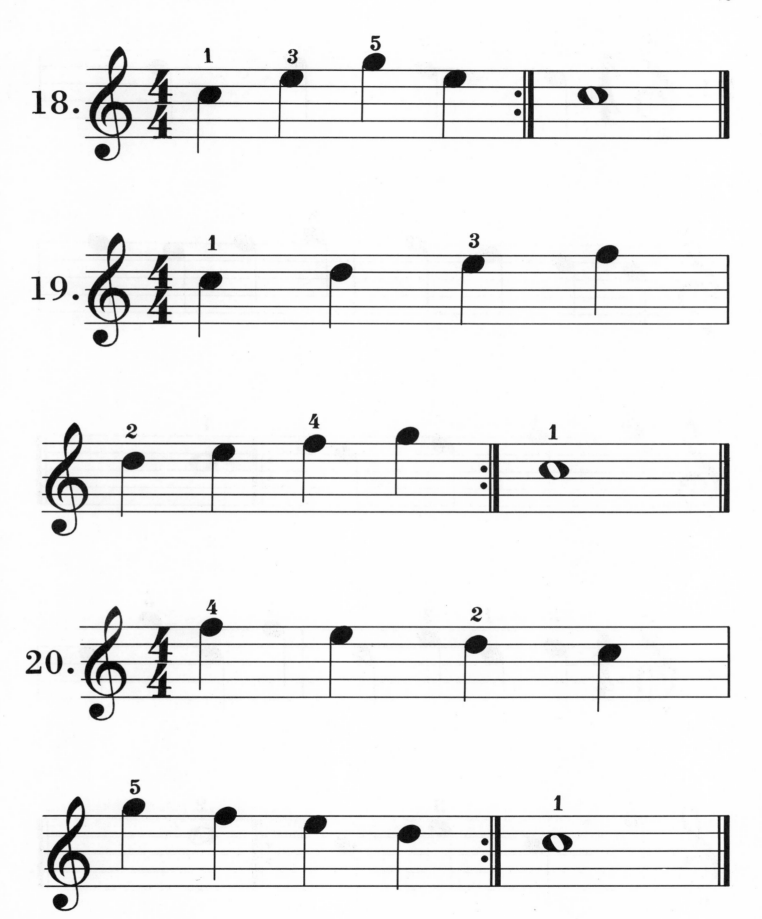

15+mes
10번-21. 22. 23. 24
(times)

21.

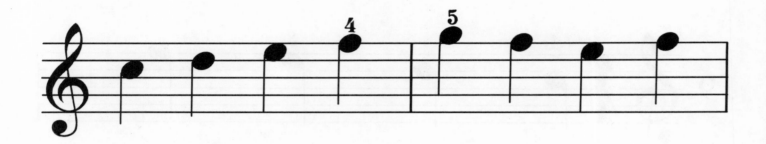

22.

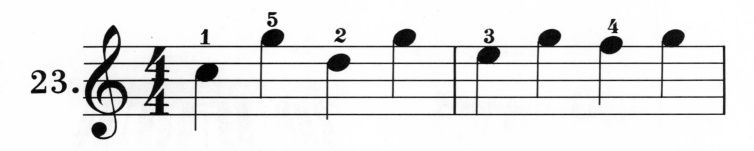

23.

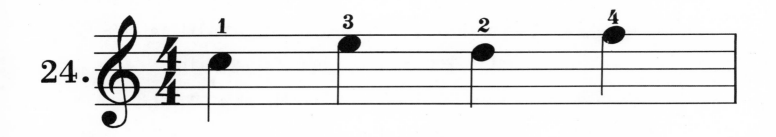

24.

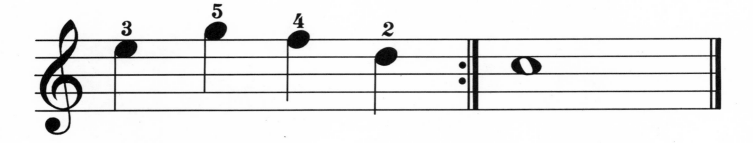

손가락 번호와 음표의 길이는 매우 중요한 것입니다. 확실히 알 수 있도록 공부합시다.

치고 있는 음에서 다음의 음으로 바꿀 때에는, 다음의 음을 치는 것과 동시에 앞의 음을 누르고 있는 손가락을 곧 건반에서 떼어야 합니다.

왼손 연습

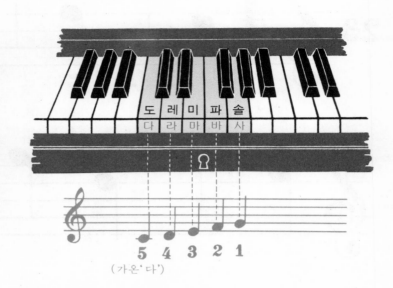

도 레 미 파 솔
다 라 마 바 사

5 4 3 2 1
(가온'다')

앞서 말한 바와 같이 오선에는 모두 열 한 개의 음을 적을 수 있지만, 그보다 더 많은 음을 적을 때에는 짧은 줄을 그어서 적습니다. 이것을 「덧줄」이라고 합니다. 새로 나온 ♩의 음은 아래 첫째 줄에 적힌 4 분음표입니다. 이것을 「가온 다음」이라고 하며, 피아노 열쇠 구멍 가까이에 있는 「다」음입니다.

오른손 연습 때와 같이 다섯째 손가락을 가온「다」에, 넷째 손가락을 「라」에, 셋째 손가락을 「마」에, 둘째 손가락을 「바」에, 그리고 첫째 손가락을 「사」에 놓고, 바른 자세로 확실하게 연습합시다.

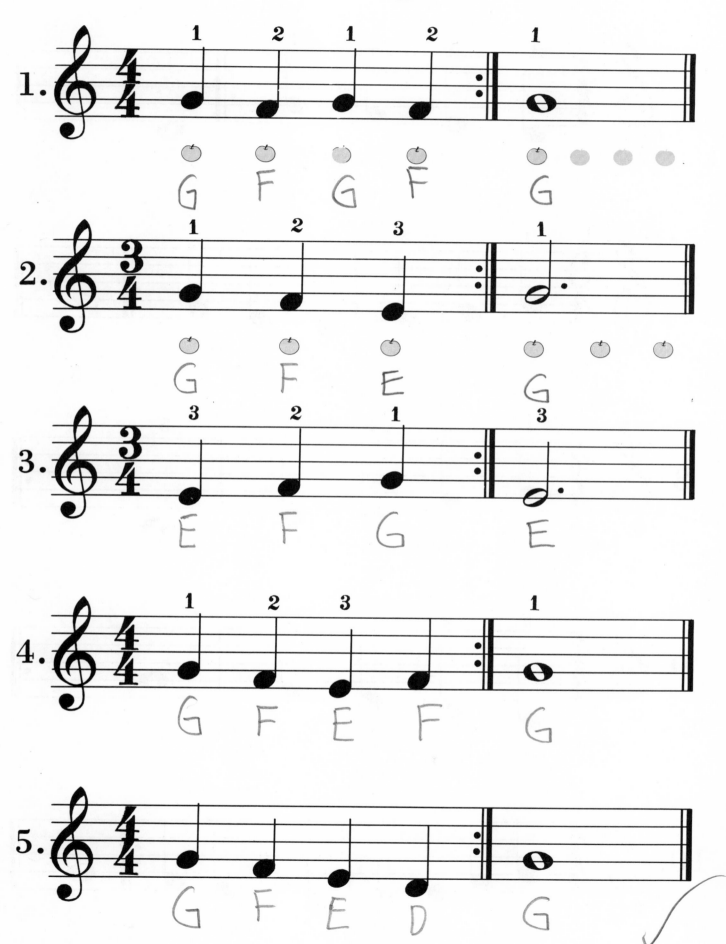

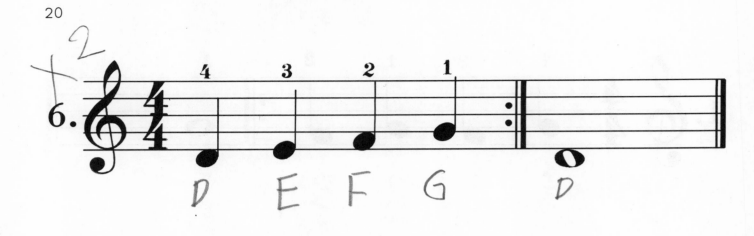

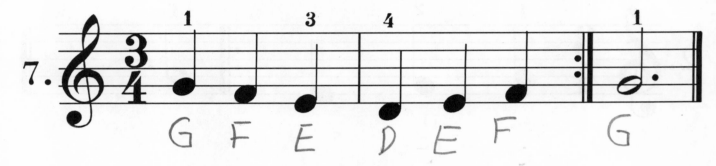

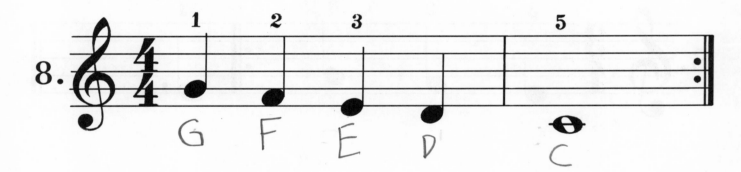

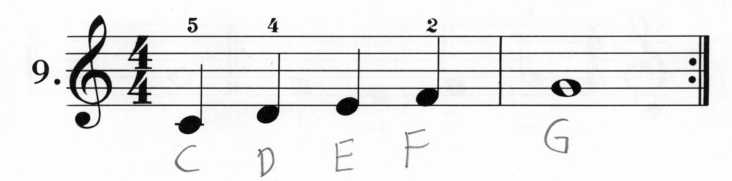

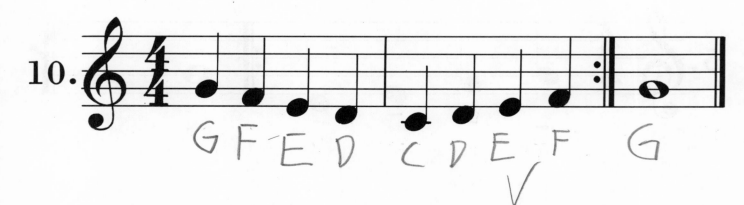

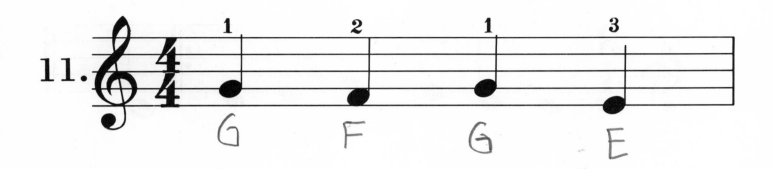

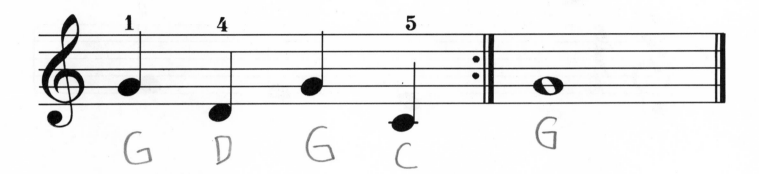

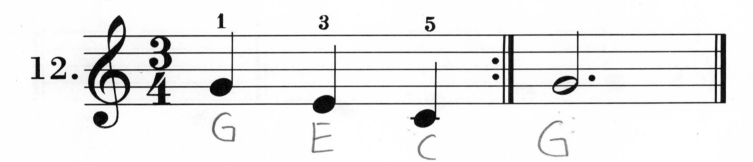

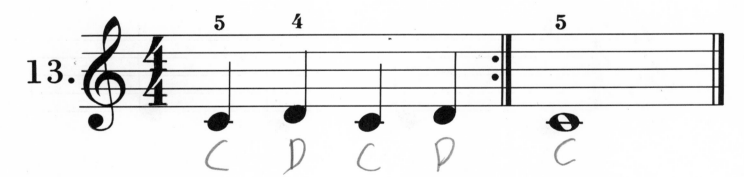

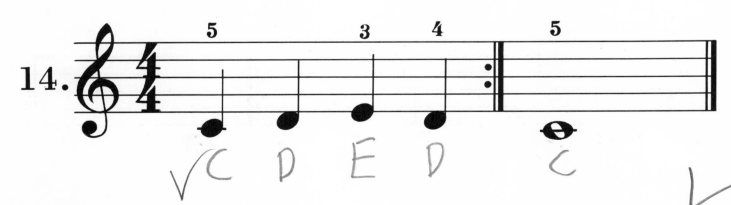

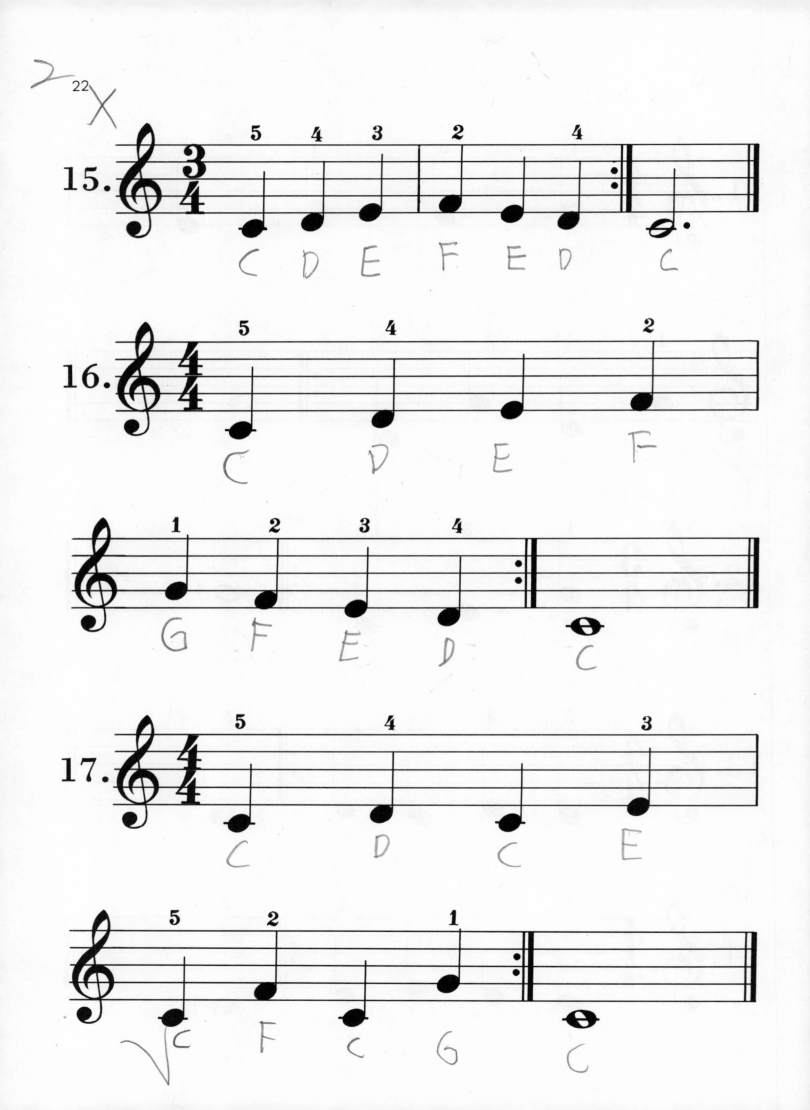

하나하나의 음을 아름답게 마음을 기울여 주의 깊게 쳐 봅시다. 조금 치게 되면 빨라지기 쉬우므로 주의합시다.

2
X

나비 노래

도이칠란트 민요

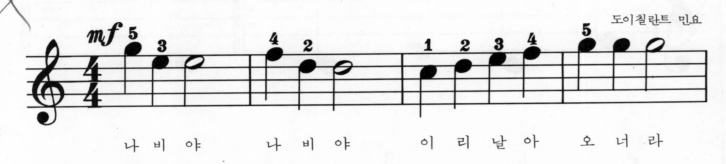

나 비 야   나 비 야   이 리 날 아   오 너 라

노 랑 나 비 흰 나 비 — 춤 을 추 며   오 너 라

봄 바 람 에   꽃 잎 도   방 긋 방 긋   웃 으 며

참 새 도 —   짹 짹 짹   노 래 하 며   춤 춘 다

뻐 꾸 기

오른손

도이칠란트 민요

왼 손

28

응용곡 연습   5번

붕 붕 붕
(꿀 벌)

도이칠란트 민요

붕 붕 붕 벌 떼 춤 춘 다

이 꽃 저 꽃 날 아 들 며 즐 거 웁 게 춤 을 추 네

붕 붕 붕 벌 떼 춤 춘 다

종 소 리

아메리카 민요

종 소 리   울 려 라   종 소 리 울 려

우 리 썰 매   빨 리 달 려   썰 매 야 가 자 —

종 소 리   울 려 라   종 소 리 울 려

우 리 썰 매   빨 리 달 려   어 서 야 가 자

양손 연습

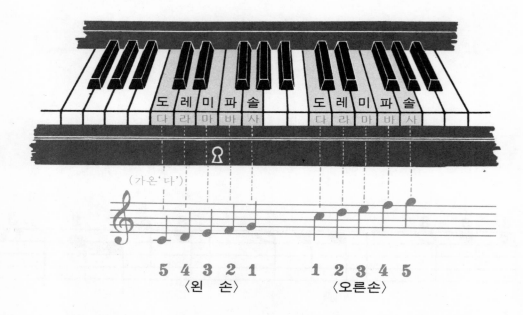

다음은 오른손과 왼손을 함께 치는 양손의 연습입니다. 오른손과 왼손을 따로 따로 틀리지 않게 분명히 연습하여, 잘 칠 수 있게 되면 양손으로 연습합니다.

어떤 소리가 납니까? 재미있고 신비로운 소리가 되었겠지요

쉼 표 공 부

음표에는 4분음표, 2분음표, 온음표 등이 있으며, 각각 음의 길이가 다르다는 것은 이미 앞에서 말한 바 있습니다. 악보에는 이러한 음표 외에도 「쉼표」라 하여 음을 내지 않고 쉬는 표가 있습니다. 이것도 음표와 마찬가지로 매우 중요한 기호입니다.

여기서는 음표와 비교하면서 쉼표 공부를 하기로 하겠습니다.

4분쉼표·········4분음표(♩)와 똑같은 길이만큼 쉽니다.

2분쉼표·········2분음표(♩)와 똑같은 길이만큼 쉽니다.

온 쉼 표·········온음표(o)와 똑같은 길이만큼 쉽니다.

또 한 마디를 전부 쉴 때도 이 쉼표를 사용합니다.

오른손 연습곡(세 손 연탄)

주제와 12개의 변주곡

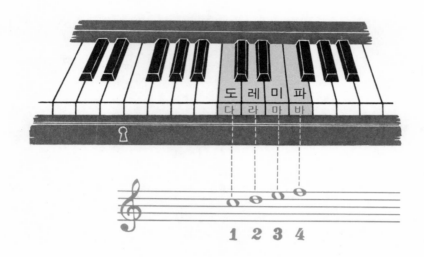

잘 치게 되었으면 선생님의 반주로 연습을 합시다. 이 「오른손의 연습곡」에는 여러 가지 새로운 기호나 말이 나오는데, 다음 페이지에서 설명하기로 하겠습니다.

Thema, Moderato

Thema ^{데 마} ············ 주제라 하며, 하나의 곡을 바탕으로 하여 그 곡을 여러 가지
로 변화시켰을 때 그 바탕이 된 곡의 멜로디를 말합니다.

Variation ^{바리에이션}············ 변주곡이라 하며, 하나의 곡(주제)을 바탕으로 하여 그것을
여러 가지로 변화시킨 곡을 말합니다. 여기서는 Var.이라 줄여
서 쓰고 있습니다.

 ······ 슬러(이음줄)라 하며, 높이가 다른 두 개 이상의 음표 위나
아래에 그은 줄인데, 이 슬러가 쳐 있는 부분은 원활하게 연
주합니다.

Tempo Moderato ^{템포 모데라토}··· 「보통 빠르기」란 뜻입니다.

legato ^{레가토} ··············· 「원활하게」 치라는 뜻입니다. 슬러와 같습니다.

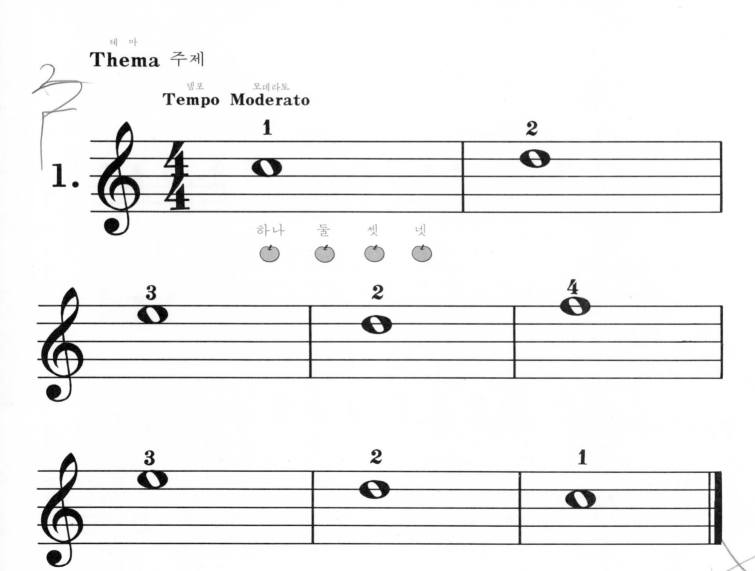

선생님

Var. 1

선생님

Var 2

Variation <small>(변주곡)</small>

38

선생님

Var. 3

선생님

Var. 4

선생님

Var. 5

선생님

Var. 6

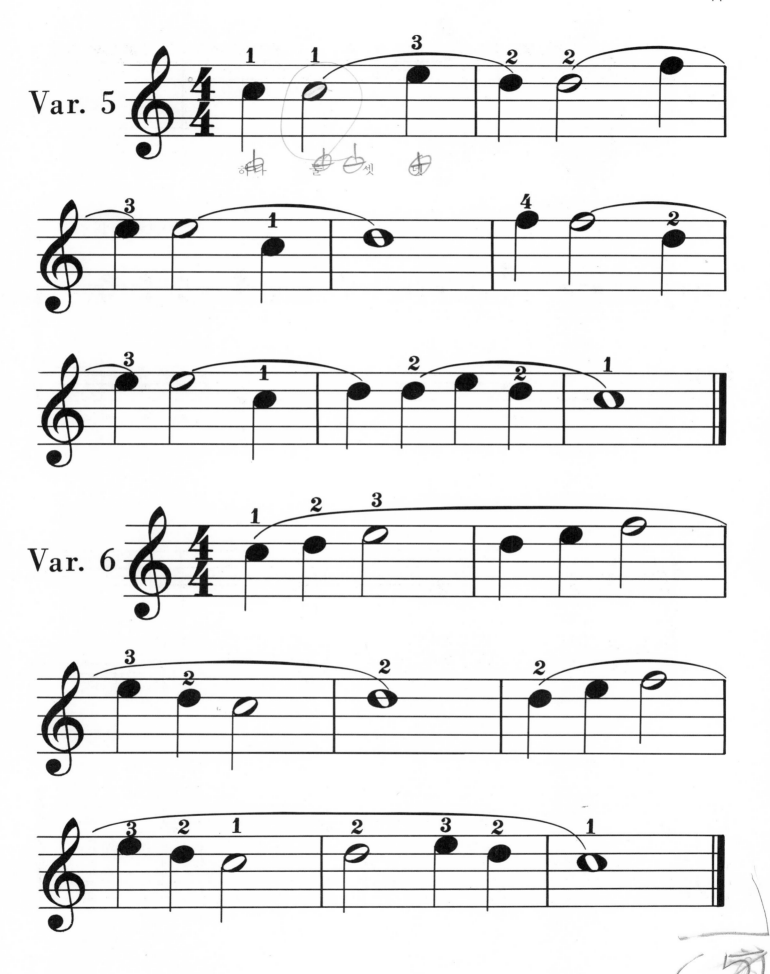

선생님

Var. 7

선생님

Var. 8

44

선생님

Var. 9

선생님

Var. 10

하나 둘 셋 넷

45

선생님

Var. 11

선생님

Var. 12

왼손 연습곡 (세 손 연탄)

주제와 8 개의 변주곡

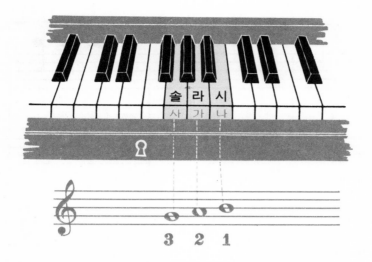

솔 라 시
사 가 나

3 2 1

테마 모데라토
Thema, Moderato

2.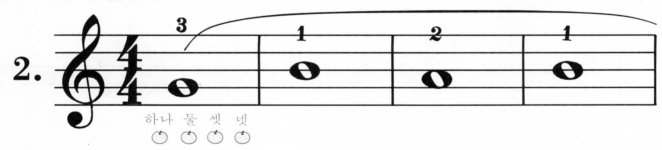

하나 둘 셋 넷

선생님

Var. 1

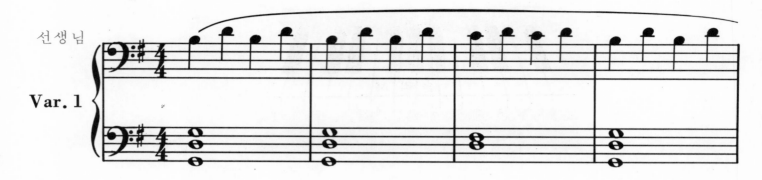

Var. 1

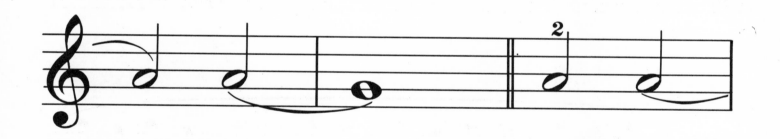

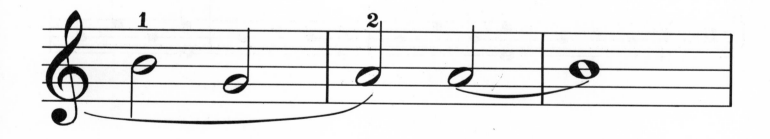

선생님

Var. 2

53

Var. 2

선생님

Var. 3

선생님

Var. 3

선생님

Var. 4

Var. 4

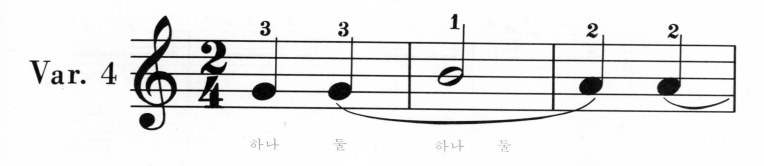

하나　　둘　　하나　둘

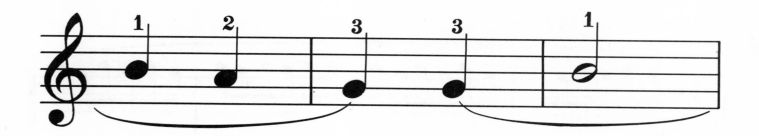

선생님

Var. 5

선생님

59

앞에서도 나왔지만, 𝄆 𝄇 기호는 도돌이표라 하여 이 안의 음은 되풀이해서 칩니다.

선생님

Var. 6

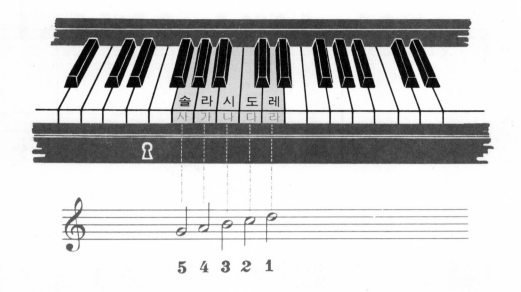

5 4 3 2 1

Var. 6

하나 둘 셋 넷

선생님

Var. 7

선생님

Var. 8

양손 연습곡(네 손 연탄)과

옥타브

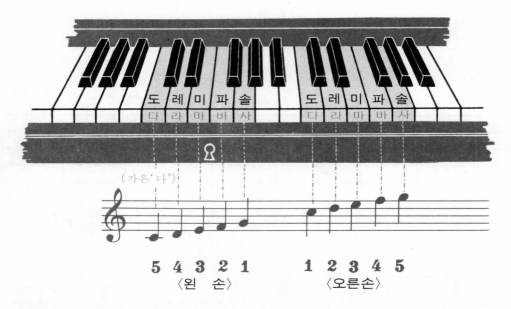

오른손과 왼손을 함께 치는 연습입니다. 우선 왼쪽 페이지의 그림을 보고 왼손의 다섯째 손가락과 오른손의 첫째 손가락을 함께 쳐 봅시다. 하나의 음처럼 들리지요? 이 두 개의 음은 모두 「다」(도)음입니다. 다음에는 한 개씩 손가락을 앞으로 나아가게 해 봅시다. 역시 똑같이 들리지요? 이러한 음은 모두 「라」(레), 「마」(미), 「바」(파), 「사」(솔)음입니다. 이와 같이 하나의 음에서 흰 건반으로 세어서 여덟번째의 음을 옥타브라 합니다.

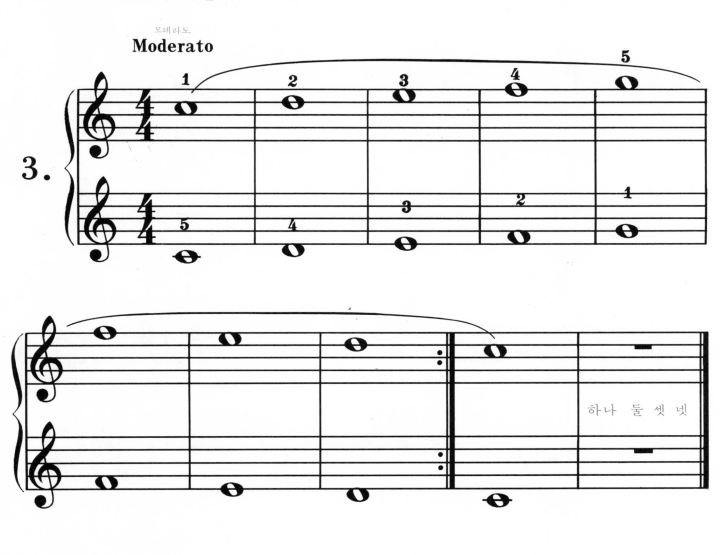

선생님

4.

선생님

5.

하나 둘 셋 넷   하나 둘 셋 넷

69

선생님

선생님

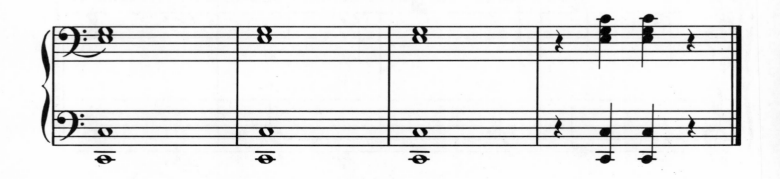

하나 둘 셋

선생님

8.

선생님

Allegretto

선생님

9.

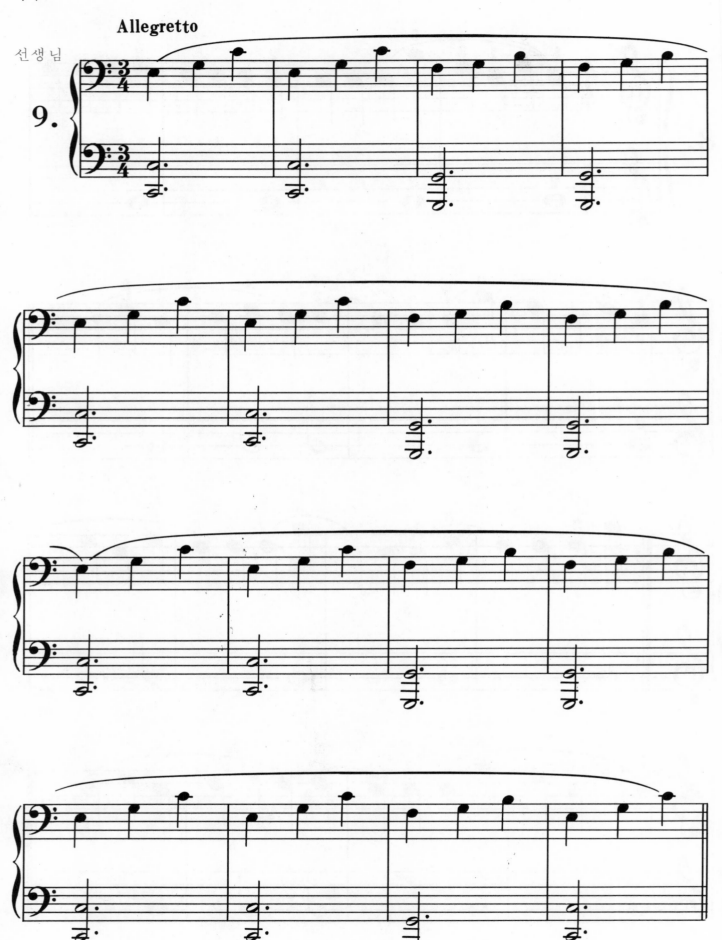

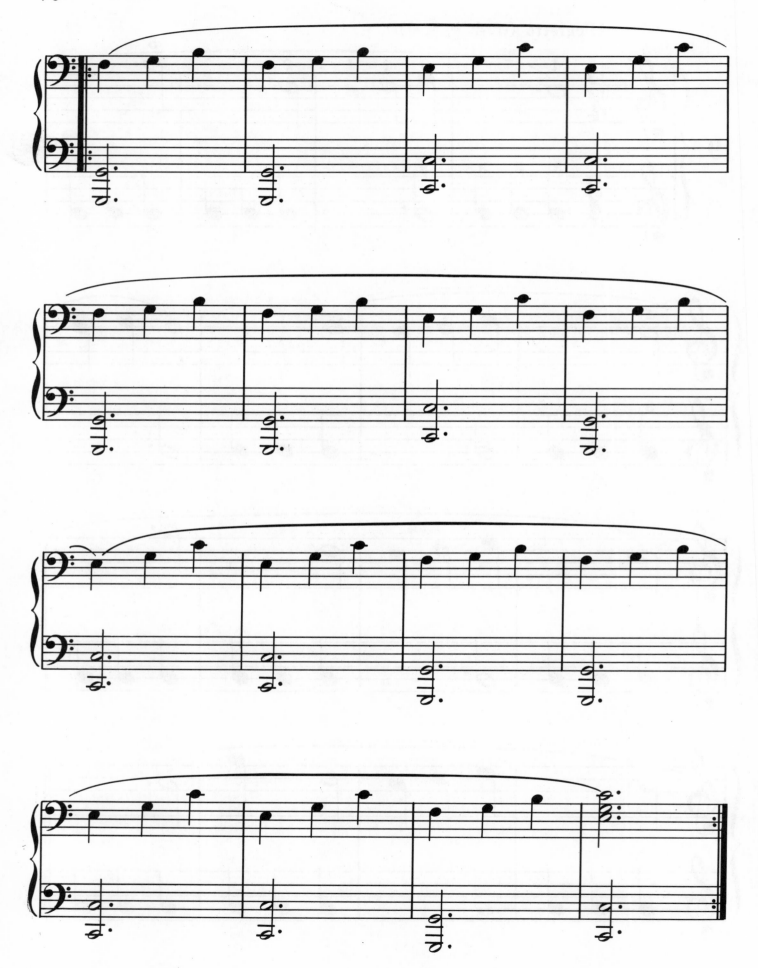

10.

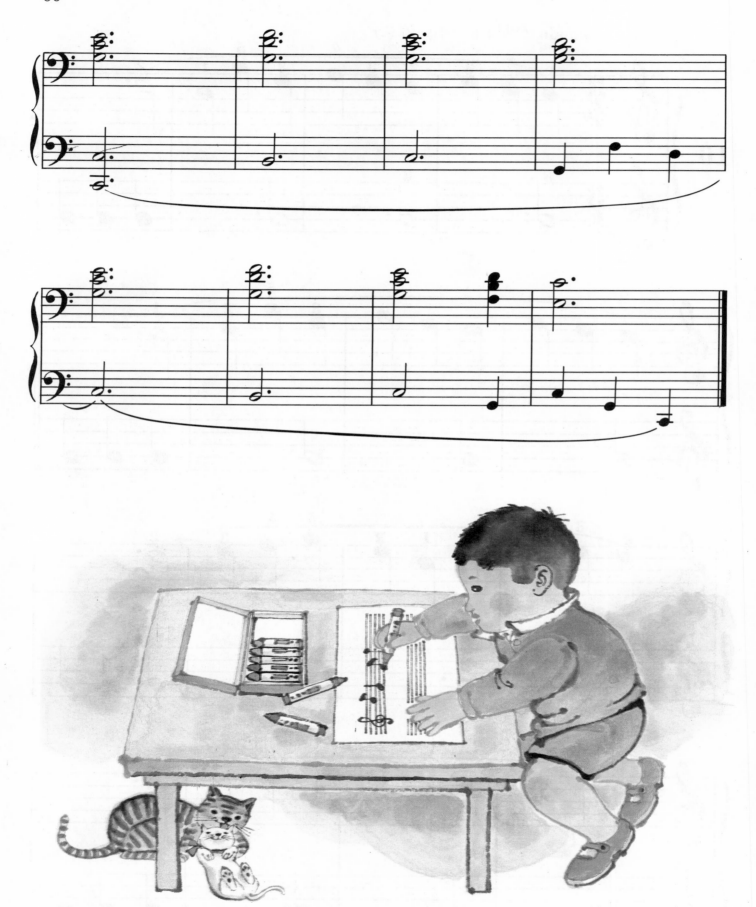

Moderato

선생님

11.

모데라토

Moderato (보통 빠르기로)

11.

양손 연습

여기서부터의 양손 연습곡은, 지금까지와는 달리 오른손과 왼손이 각각 다른 리듬으로 되어 있을 뿐만 아니라, 왼손의 연습도 약간 어려워졌습니다.

바른 자세로 팔이나 손에 너무 힘을 주지 말고 부드럽게 하여, 확실히 박자를 세며 칩시다.

15, 19, 23번에 나오는 ♩ ♩ ♩ ♩ 는 Mezzo Staccato(메조 스타카토)라고 부르며, 음과 음 사이를 약간 끊듯이 떼어서 연주하라는 뜻입니다.

86

꽃을 심자

응용곡 연습

체르니 곡

꽃을 심자

돌아라 돌아라

화 음 공 부

다음 18번의 왼손의 악보에는 아래 악보와 같은 음표가 처음으로 나옵니다.

(1) 　　　　(2)

이 두 개의 음은 지금까지와 같이 따로따로 치지 않고 함께 같은 세기로 칩니다. 이와 같이 두 개 이상의 음이 함께 되어 있는 것을 화음이라 합니다.

(1)의 화음은 「마」(미)와 「사」(솔)음이 함께 울려 아름답게 들립니다.

(2)의 화음은 「바」(파)와 「사」(솔)음이 함께 있는데 별로 깨끗한 울림은 아닙니다. 그러나 이러한 화음도 음악에서는 매우 중요합니다.

94

Allegretto (조금 빠르게)

19.

알레그레토
Allegretto (조금 빠르게)

20.

legato (원활하게)
레가토

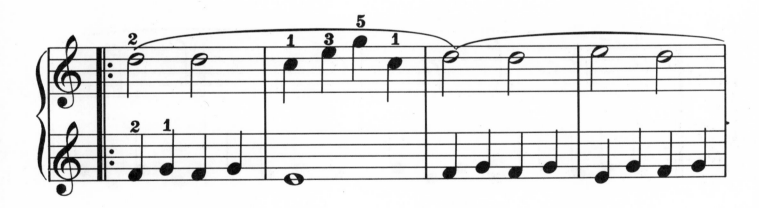

Moderato (보통 빠르기로)

21.

legato (원활하게)

Moderato (보통 빠르기로)

23.

24.

legato (원활하게)
레가토

25.

27.

슬러(이음줄)와 타이(붙임줄)

슬러에 대해서는 35페이지에서 이미 공부하였습니다. 슬러란, 높이가 다른 두 개 이상의 음표 위나 아래에 쳐 있는 줄이며, 이 줄이 쳐 있는 사이는 원활하게 쳐야 합니다.

다음 29번의 연습곡은 슬러 외에도, 같은 높이의 음에 슬러와 같은 줄이 쳐 있습니다. 이것을 타이라 합니다. 타이가 쳐 있는 사이는 끊지 말고 처음 음과 다음 음표를 합친 길이만큼 늘입니다.

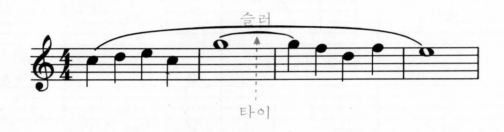

29.

30.

응용곡 연습   나비 노래

독일 민요

덧 줄

5선에 음표를 적을 수 없을 때는 5선의 위나 아래에 짧은 선을 그어 넣을 수 있습니다. 그것이 한 줄일 때는 6선, 두 줄일 때는 7선의 역할을 하게 됩니다. 그리고 이와 같은 줄을 그어서 생긴 덧칸도 물론 사용할 수 있습니다.

또 5선 밑에 그은 첫번째 덧줄에 걸친 음표는 가온 「다」(도)로서 건반에서는 열쇠 구멍 가까이에 있는 「다」(도)음입니다.

안단테
Andante (걸음걸이 빠르기로)

32.

선생님

Allegretto

33.

선생님

선생님

34.

Andante (걸음걸이 빠르기로)

34.

116

39.

41.

Allegretto

선생님

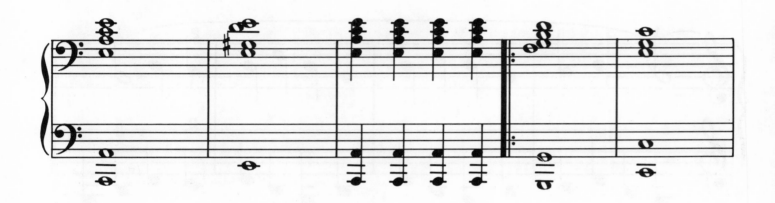

선생님

Andante

42.

dolce

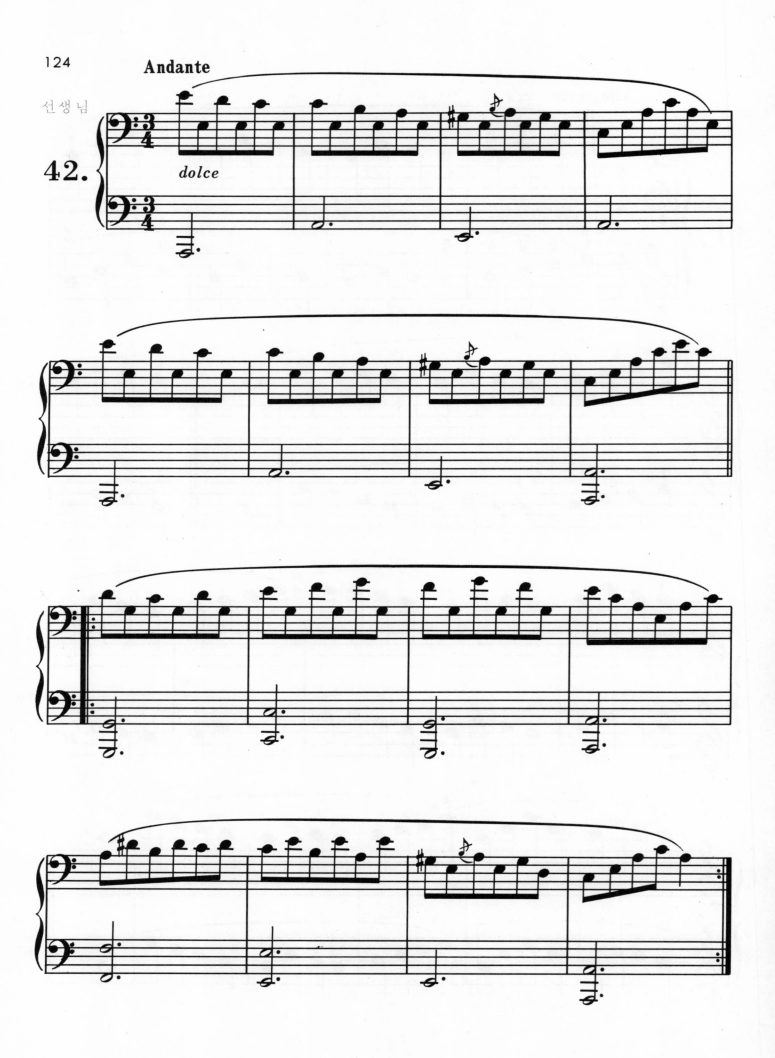

선생님

Andante (걸음걸이 빠르기로)

42.

Moderato (보통 빠르기로)

43.

바둑이와 고양이

물레방아

알레그레토
Allegretto (조금 빠르게)

그 네

자 장 가

Moderato (보통 빠르기로)

귀여운 제비꽃

보헤미아 민요

응용곡 연습

내 마음의 꽃

내 마음의 꽃

세광 피아노 교본·곡집 과정표

표 준 교 재

초급용

제1과정
- 피아노 첫걸음
- 꼬마 어린이 바이엘 ①②③
- 새로운 세광 바이엘 ①②③④
- 어린이 바이엘 ①②③
- 바이엘 피아노 교본
- *부르크뮐러 25번
- 메토드 로즈 ⑳⑳
- 톰슨 피아노 교본 도입서·①②
- 미크로코스모스 ①
- 반주법을 배우는 새광 피아노 교본 ①
- 새로운 피아노 교본 ①②③
- 글로버 피아노 교본 ①②
- 매일 12곡 도입서·①
- 어린이 클래스 피아노 ①②
- 디지털 피아노 교본 ①②
- 기초 클래스 피아노 교본 ①②
- 하농 피아노 교본

제2과정
- 간추린 체르니 100번
- 체르니 100번
- 체르니 30번
- *체르니 왼손을 위한 24연습곡
- 체르니 매일 연습곡
- 18번
- *바흐 인벤션
- ③④
- ②③
- ②③
- ③④⑤
- ③④
- ③④
- ②
- 클래스 피아노 ⑳⑳

중급용

제3과정
- ⑦체르니 40번
- 12* 번
- ⑤ ③
- ⑬클레멘티 29연습곡
- ⑤③
- ⑥
- ⑦바흐 프랑스 조곡

제4과정
- ⑦체르니 50번
- ⑦바흐 영국 조곡
- ⑤바흐 평균율①
- ⑥바흐 평균율②
- ⑨바흐 파르티타
- ⑩바흐 토카타
- 크라머·뷜로 60연습곡
- ④
- ④

고급용

제5·6과정
- ㉛쇼팽 에튀드
- ㊹드뷔시 12연습곡
- ⑤
- ⑥
- (* 표는 별책 지도강좌 시리즈 추가)

병용곡집

초급용

제1과정
- 피아노 반주곡집
- 발표회 독주곡집 ①②
- 국민학교 새교과서에 맞춘 피아노
- 새동요 피아노 소곡집
- 재미있는 동요 피아노 동요집
- 피아노 동요모음
- 어린이 피아노 동요곡집 ①②
- 어린이 피아노 소곡집 ①②
- 어린이의 피아노(작곡가별)
- 피아노 소곡집 ①
- 어린이 피아노 소곡집

제2과정
- 소나티네 앨범(춘추사판)
- 소나티네 앨범 ①
- ②소나타 앨범 ①②
- 새로운 피아노 명곡집
- 피아노 명곡집 ①②
- 피아노 소품집 ①②③
- 피아노 명곡 110곡집
- 피아노 명곡 150곡집 ⑳⑳

중급용

제3과정
- ①바로크편(뮐러 외)
- ⑪헨델
- ⑯모차르트
- ㉑㉒베토벤·베버
- ㉓슈베르트·멘델스존
- ㉞슈만
- ㉟슈트라우스
- ㉕차이코프스키
- ⑬드뷔시 ①
- ㊹바르토크
- ㉟

제4과정
- ②ㅡ스카를라티
- ⑫하이든
- ⑭ㅡ모차르트 ①②③
- ㉘쇼팽 ①②③
- ㊵브람스
- ㊿샤브리에 외
- ㊼쇼팽 앨범
- ②

고급용

제5·6과정
- ㉔베토벤
- ㊷리스트
- ㊸프랑크·무소르그스키
- ④라벨
- ⑥라흐마니노프
- ㉟스크랴빈
- ⑩현대편(쇤베르크 외)
- ③
- *①ㅡ㉚세계음악전집(피아노편)

어린이 바이엘 ⓢ

편집국 편

Compilation ⓒ 1978 세광음악출판사
- 인쇄일 : 1993년 5월 15일
- 발행인 : 박 세 원

값 3,800원

이 책의 내용을 무단 복제, 복사할 수 없습니다.
(파본은 교환해 드립니다.)

- 발행처 : **세광음악출판사**
  서울특별시 용산구 서계동 232-32
  우편번호 140-140
  ☎ 714-0046 (대) FAX : 719-2191
- 공급처 : 주식회사 **세광유통**
  ☎ 719-2651 (대) FAX : 719-2191
- 등록번호 : 1953년 2월 12일 3-108.

ISBN 89-03-31121-3 03670